KB104982

노예근성 MZ 세상에 외치다 :)

정환석

노예근성 MZ 세상에 외치다 :)

발행	|	2024년 3월 30일
저자	|	정환석
디자인	|	어비, 미드저니
편집	|	어비
펴낸이	|	송태민
펴낸곳	|	열린 인공지능
등록	|	2023.03.09(제2023-16호)
주소	|	서울특별시 영등포구 영등포로 112
전화	|	(0505)044-0088
이메일	|	book@uhbee.net

ISBN | 979-11-93116-76-0

www.OpenAIBooks.shop

노예근성 MZ 세상에 외치다 :)

정환석

목차

머리말

안녕하세요. 정환석입니다. 이 책은 제가 군 제대 이후부터 현재까지의 삶을 시간적 순서로 풀어낸 수필입니다. 편안한 마음으로 옆집 동생이 본인의 겪어온 이야기를 써 내려갔구나하고 읽어주셨으면 합니다.

저는 돌이켜보니 20대에 주변에서 '너 이거 해볼래?'라고 하면 '해볼게요.'라고 늘 대답을 해왔던 거 같습니다. 그래서 종교 단체활동, 봉사활동, 해외 탐방, '내일로' 기차여행, 등 또래에 비해 많은 경험을 해볼 수 있었습니다.

이 책을 통해 나누고 싶은 이야기는, 삶의 여정은 때로는 예측 불가능하고, 그 선택들이 우리를 어디로 이끌지 알 수 없다는 것입니다. 하지만 그 선택들이 나를 더 굳건하게 만들고, 하나 둘씩 모여 현재의 나를 이루게 해준다는 것을 알게 되었습니다.

책을 쓰면서, 현재 농부와 사업가로서 이러한데, '앞으로 미래에 대한 내 모습도 어떨까?'라는 궁금증을 갖게 되었습니다. 어떤 도전과 기회가 나를 기다리고 있을지는 알 수 없지만, 지금까지의 경험과 깨달음을 토대로 앞으로도 삶을 열정적으로 살아가고 싶습니다.

책을 통해 독자분들이 자신만의 인생이란 여행에서 영감을 받아 더 따뜻한 삶을 찾아가길 바랍니다.

삶은 놀라운 여행이며, 여러분도 그 여정에서 더 나은 자신을 찾아가길 희망합니다.

p.s

작가의 블로그에서 무료 나눔을 신청해 보세요!

저자 소개

1995.04.28 男 정환석

똥빵댕이대표, 농부, 작가

작가의 블로그.

작가의 인스타그램

1
무작정 세계 배낭여행

모든 일의 시작은 군 생활 중 텔레비전 프로그램을 봤던 것으로부터 시작했다. 텔레비전에서 우연히 세계 여행을 다룬 프로그램을 보게 되었고, 그 중에서도 눈을 뗄 수 없을 만큼 매료되었던 건 시베리아 횡단 열차의 여정이었다. 텔레비전을 본 그 순간 나에게는 앞으로 어떤 일들이 일어날지는 그때는 미처 알지 못했었다. 프로그램을 본 이후, 선임, 후임, 그리고 주변 지인들과 그 기차여행에 대한 이야기를 끊임없이 나누었고. 어떻게 그 횡단 열차를 탈지 또 어느 나라를 여행하며 어떤 경험을 하고 싶지를 얘기하면서, 내 안에서는 두근거리는 마음이 계속해서 부풀어 가고 있었다.

그 두근거림은 마치 앞으로 벌어질 모험을 향한 설렘이면서, 제대를 앞둔 나에게는 사회로 나아가는 길에 한 발짝 더 내디딜 준비이기도 했었다. 여행은 명확한 목적 없이, 그저 남들이 군 제대 이후 여행을 간다는 이야기에 자극 받아, 나도 한번 가봐야겠다는 생각에서 계획했고, 어쩌면 이런 무작정 여행이 나에게 맞을 것 같아, 배낭을 메고 여러 나라들을 돌아다니기로 결심했다.

제대하고 나서는 아르바이트로 돈을 모으면서 여행 준비를 시작했다. 뚜렷한 목적이 있어서 해수욕장에서의 아르바이트는 힘든 줄 몰랐다. 3개월동안 단기 아르바이트를 했는데, 짬짬이 남는 시간에는 사전 조사를 했다. 무작정 세계여행이라 나는 첫 번째 나라인 러시아만 대해 알아보았다. 그 당시에는 유튜브 SNS 가 그리 활발히 운영되지 않아 얻을 정보들이 그리 많지 않았다. 알아보니 러시아는 우방 국가이며, 불법무기 및 총기 소지할 수 있어, 그래서 나는 쿠팡에서 3만원 정도 하는 방탄조끼 및 돼지 코 등 물품들을 사면서 여행준비를 했었다. 실질적 도움이 안 되었지만, 방탄조끼는 나에게 심리적 안정감을 주었다.

드디어 10월 29일, 인천공항에서 블라디보스토크로 가기 위해 인천공항으로 향했고, 비행기를 타고 블라디보스토크로 향했다.

그날부터, 나는 목적지가 없는 여행의 시작을 향해 한 걸음 더 나아가고 있었다. (편도 티켓만 예매하고 출발했다) 그 시점에서는 어떤 모험이 나를 기다리고 있는지 알 수 없었지만, 그저 앞으로 펼쳐질 모든 것에 기대와 호기심으로 가득 차 있었다. 인천공항에서 출발해 첫 도시인 블라디보스토크에 도착했을 때, 바깥은 해가 질 무렵이었고, 도착하자마자 나를 반겨준 것은 예상치 못한 여러 문제였다.

먼저, 주말 저녁에 도착하니 최소한의 인원들만 공항에 있었고, 나는 도심지로 가는 공항버스를 찾지 못해서 어디로 가야 할지를 몰라 당황했었다. 그리고 유심 교환 창구가 이미 문을 닫혀 있어서 휴대전화를 사용할 수 없었다. 혼자 외국에서 어떻게 이동하는지에 대한 정보를 얻을지 고민이 많았는데, 다행히 공항에는 한국 사람들이 있었다. 하지만 그분들은 한국으로 되돌아가는 사람들이었고, 나는 그분들에게 도움을 얻지 못했다.

더군다나 해가 어둡게 질러가면서 밤이 다가왔다는 걸 깨닫자, 정말 정신이 하나도 없었고, 어쩔 줄을 몰랐다. 컴컴한 어둠에 휩싸인 상황에서는 더 이상 무엇을 어떻게 해야 할지 감이 안 잡혔고, 언어도 안 통하고 낯선 땅에서 나는 혼자 있었다. 또 짐은 한가득하고, 당황해 하는 모습이 마치 누가 봐도 외국인 관광객 모습이어서, 정말 이러다가 공항에서 하룻밤 잘 수도 있을 거 같다는 걱정이 들었다.

여기서 어리바리 하면은 무슨 일에 휘말릴 수 있을 거 같은 생각이 들었다. 그러던 와중에 영업하는 택시 기사분이 나에게 다가왔다. 그 기사님은 키가 족히 190cm 돼 보이는 큰 덩치에, 담배를 피면서 나에게 다가와 번역기를 내밀고 이야기를 나누고 싶다고 말했다.

그런데 솔직히 날이 어두워지고 있는 공항에서 담배를 피우며 다가오는 낯선 사람은 너무 무서웠다. 불안함이 고조되고, 어떻게 대처해야 할지 막막함을 느꼈지만, 나는 이 기사님 마저도 없었 다면은 오늘은 공항에서 노숙해야 한다라는 생각에 기사님의 택시를 타고 공항을 떠나 시내로 향했다.

불안함을 극복하고자 택시 기사님과 계속해서 번역기로 이야기했고, 마침내 숙소에 도착했다. 택시를 타고 서로 이야기 나누면서, 어색함을 조금이나마 해소했다. 무서웠던 첫인상은 조금씩 희미해지고, 기사님은 서툰 영어와 번역기로 좋은 말들을 해주었다.

"러시아에 잘 왔다. 여행은 항상 즐겁게 하고, 맛있는 음식 많이 먹어라, 러시아 친구들의 외모는 무뚝뚝하고 차가우나 속은 따뜻하다. 친구들을 많이 만나고 사진 많이 찍으라고, 웰컴 러시아다."

등 이야기를 나누게 되었다. 숙소에 도착을 했고, 긴장한 탓에 가방을 끌어안고 첫날밤을 보냈다. 내가 지낼 숙소는 알고 보니 관광객 숙소가 아닌 현지인이 묶는 숙소였다. 현지인 숙소인 것을 어떻게 알았느냐면, 다들 아침에 부지런히 움직였었고, 내가 일어나 밥을 먹을 때는 숙소는 텅 비어있었다. 그리고 저녁에는 항상 다 같이 밥을 해 먹었다. 결정적으로 숙소는 시내에서 3km 정도 떨어져 있었다. 그래서 시내까지 매일 30분씩 걸어 다니면서 건강과 주변 산책까지 덤으로 일거양득을 취할 수 있었다.

처음 블라디보스토크에서의 여행은 3일 이었는데, 표 예매의 실수로 7일 동안 도시 여행으로 바뀌게 되었다. 그래서 일주일간 머물면서 나는 이 도시에서의 생활에 좀 더 깊이 이해할 수 있게 되었다. 덕분에 블라디보스토크에서의 일상을 더 깊숙이 체험하면서, 현지인들과 소통하고 그들의 문화에 더 깊게 함께 할 수 있는 기회가 생겼던 것이었다.

다소 시끄러운 번화가가 아닌 조용한 주택가에서의 유일한 관광객이자 외국인으로서 특별한 경험을 하게 되었다. 숙소 룸메이트들과 동네 큰 마트에서 싸게 장도 보고, 블라디보스토크인들이 좋아하는 보드카, 맥주 등 재미있는 경험을 했다. 그들도 겉모습과 언어만 다를 뿐이지 사는 모습은 비슷비슷하다는 것을 느꼈었다. 표 예매의 실수가 그들의 일상적인 면모를 알 수 있게 해 주었고, 예상치 못한 일들이 여행의 매력이 된다는 것을 알게 되었다. 때로는 예상치 못한 일들이 재미난 경험으로 이어질 수 있다는 걸 느끼게 된 순간이었다.

*

나는 공용침실(도미토리) 객실에 지냈는데, 룸메이트들과 처음 만났을 때 가 생각이 난다. 참으로 어색했던 대화의 소통이었었는데, 한두 마디 씩 인사만 하다, 하루 이틀 지나니 점점 대화로 이어지게 되었다.

'서로 어디에서 왔는지', '어디를 여행할 계획인지'

'몇 살인지', '직업은 뭐니' 등

여러 주제에 관해 이야기를 나누기 시작했다.

하지만 우리 사이에는 언어의 장벽이 있었기 때문에, 처음에는 의사 소통하는 것조차 쉽지 않았다. 그럼에도 러시아어, 한국어, 영어, 몸짓 등 다양한 수단을 활용하면서 서서히 의사소통의 벽을 허물어 나갔고, 처음에는 단어 하나하나가 어색하게 들렸지만, 시간이 흐를수록 우리는 서로를 이해하고 더 가까워질 수 있었다.

이런 경험을 통해 언어의 한계를 넘어선 소통이 가능하고 이런 기회들이 얼마나 소중하고 특별한 것인지를 깨닫게 되었다. 서로 다른 언어와 문화를 가진 사람들끼리 소통하면서 얻는 즐거움은 정말 특별하고 의미 있는 경험이었다.

그 특별한 경험 중 하나는 숙소에서 2명의 특별한 친구들을 만나게 된 일이었다. 한 명은 30대 초등학교 교사였고, 다른 한 명은 50대의 원양 어선 선원이었다. 이들과의 영화 같으면서도 우연한 같은 방에서의 동거는 지금 생각해도 피식 웃음이 나는 일이다. 일반적으로 숙소 방에서는 술을 마시면 안 되는 일인데 그 때의 일은 마치 영화 한 장면처럼 펼쳐졌다. 상황은 이렇다.

처음에는 조용한 방에서 과자를 먹으면서 이야기가 시작되었다. 이야기하다 보니 분위기는 점차 활기를 띠게 되었고, 숙소방에서 술을 마시면 안 된다는 것을 알면서도, 우리는 각자의 가방에서 술을 꺼내서 즐거운 대화와 웃음 속의 시간을 보냈다. 분위기는 점차 활기를 띠게 되었고 술잔이 가득 차면서 언어는 술처럼 흡수가 되고 어색함이 사라진다. 우리는 서로의 눈빛과 행동 그리고 언어들로 이루어진 이야기에 더욱 몰두하게 되었다. 초등학교 교사 친구는 학생들 과의 일화와 자신의 고민을 이야기해 나누어 주었고, 어선 선원 친구는 바다 갑판에서의 경험과 모험담을 들려주었다. 술이 흘러 들어가면서 각자의 삶과 고민을 나누며 우린 서로에게 더욱 가까워졌다.

그러나 시간이 흘러감과 술병이 늘어날수록, 목소리는 점점 커졌고, 결국 리셉션에게 들켜 자리를 정리했다. 어색한 웃음과 함께 나와 러시아 친구들은 2차를 더 즐기기 위해 숙소를 나가게 되었고 그 순간 내가 있는 곳은 러시아이지만 마치 한국에서 2차로 자리 이동하는 것처럼 느껴졌다.

이후에는 동네 술집으로 향하게 되었는데, 그곳에서는 자유롭게 술과 대화를 나누며 새로운 이야기를 쌓아 나갔다. 숙소에서의 경험이 흥미롭고 즐겁기도 하면서도 어쩌면 조금은 어설픈 모험이라고 생각되지만, 그 순간의 감정과 경험은 오랫동안 나에게 감동의 여운을 안겨주었다.

*

2차 술집에서 초등학교 교사의 이야기는 마치 삶을 바라보는 데에 있어서 새로운 넓은 시야를 열어준 것 같았다. 그는 여행을 통해 겪는 다양한 경험과 추억이 얼마나 소중하고 값을 매길 수 없는 것이라고 말을해주었었다. 그 순간 나는 여행을 통해 더 큰 세계를 알아가고, 새로운 사람들과 소통하며 삶의 다양한 면을 계속해서 더 경험하고 싶다는 강한 욕망이 솟아 나왔었다.

그다음 어선 선원의 이야기는 내가 가보지 못한 태평양 바다를 상상하게 했다. 태평양을 지나 조업하면서, 전 세계를 유랑하는 그의 생활과 그의 작업 사진들, 그의 말 속에는 자유로움과 일에 자부심이 가득 담겨 있었다. 그가 느낀 그동안 겪은 어려움과 기쁨, 전 세계를 누비며 느낀 다양한 감정들은 나에게 할 수 있다는 용기를 주고, 두려움보다는 행복을 추구하는 인생의 조언도 배울 수 있었다. 그리고 자기 가슴을 주먹으로 치면서 그리고 나에게 뻗어 주먹을 부딪치고, 완전 사나이들의 찌릿한 무언가가 느껴졌는데, 그의 좌우명인

'DON'T WORRY, BE HAPPY'

을 내뱉는 순간, 그 선원의 마음가짐이 나에게 찌릿함을 주었다. 그의 어려운 순간에도 긍정적인 마음가짐을 유지하며 행복을 찾아가는 자세는 나에게 감동을 줬고, 그 순간, 내 안에는 무언가가 자꾸 생겨나는 느낌을 받았다. 그리고 새로운 도전과 행복을 찾아나가고자야 한다고 생각한다.

더 구체적인 대화의 내용은 기억나지 않지만, 두 친구와 함께한 순간들은 언어의 장벽을 넘어선 진정한 의사소통이 가능하다는 것을 느끼게 해줬다. 그들과의 대화를 통해 국가,

언어, 인종을 초월한 진정한 소통이 얼마나 강력하고 의미 있는 것인지를 체감했다.

두 친구와의 만남은 말로 표현하기 어려운 감정과 인상을 나에게 남겼다. 두 친구와 대화하면서 언어의 제약이 아닌 서로에게 솔직하게 다가가고 이해하는 모습들. 그 순간의 감동과 따뜻한 분위기, 함께 웃고 이야기를 나누는 장면들은 내 인생에 앞으로도 잊히지 않을 경험 중 하나이다.

*

러시아 블라디보스토크에서의 경험은 나에게 낯선 공간에서 낯선 사람들과의 만남에 대한 시각을 크게 바꿔 주었다. 처음에는 언어의 장벽과 문화적 차이로 인해 경계심이 높았었고, 낯선 도시에서 나를 둘러싼 모든 것이 불안과 두려움으로 가득했었다. 그러나 시간이 흘러감에 따라, 알고 보니 그들도 나에게 다가오고 싶었었고, 친해지고 싶은 마음을 있었다는 것을 깨달았다. 처음에는 서로 첫인상에 선입견이 있었지만, 대화함으로써 접점이 생기고, 공통점들이 생기면서 가까워졌다. 그에 따라 그들도 나와 소통하려고 노력했고, 나 또한 더욱 열린 마음으로 다가갈 수 있었다.

한 예로, 위의 러시아 두 친구 이야기처럼 처음에는 어색함과 긴장감이 있었지만, 서로에게 관심을 표현하고 이야기를 나누면서 더욱 가까워지게 되었던 것처럼 그들은 나에게 그 도시의 역사, 문화, 일상생활에 대해 소개해 주었고, 나 역시 내 이야기를 나누며 서로를 이해하게 되는 것처럼 말이다.

처음에는 두려움과 적응에 대한 불안이 지배했지만, 서로 다가가면서 느껴진 따뜻함과 공감이 모두를 감싸는 것 같았고. 내가 가진 선입견과 편견을 깨고, 열린 마음으로 다가가면 상대방 또한 같은 마음으로 다가온다는 것을 깨달은 순간이었다. 낯선 공간에서 낯선 사람들은 결국 서로에게 다가올 때까지의 시간이 필요하다는 것을 알게 되었고, 이를 통해 삶의 다양성을 더욱 풍부하게 받아들일 수 있게 되었다.

그 이후 숙소를 떠나 시베리아 횡단 열차를 탔다, 블라디보스토크에서 모스크바까지의 6박7일 간의 일정 그리고 기차 안에서 여러 사람을 만나면서 나의 여행은 더욱 다채로워졌다. 그 중에서도 북한 출신의 사람을 만난 순간은 특별했는데, 비슷하지만 조금은 다른 언어, 우리는 비슷하면서도 서로 다른 세계에서 온 이야기들을 나눴었다.

북한 출신의 친구와의 대화에서 나눈 이야기들은 기차여행 동안 많은 흥미로움을 안겨주었다. 북한에서의 일상, 문화, 그리고 그가 살아온 가치관에 대한 시각은 나를 넓은 문화의 이해로 인도해 주었다. 어떻게 무슨 인연으로 우리가 여기서 만나서 이런 이야기를 나누게 되었을지 라는 묘한 두근거림을 느끼면서 말이다.

횡단 열차의 창문 너머로 펼쳐진 풍경은 나에게 새로운 세계의 시작임을 알렸다. 북한과 남한 서로의 국가는 다르지만, 동시에 우리는 언어와 문화를 공유하는 이 순간을 통해 서로에게 더 가까워진 것 같았다. 드라마와 음악, 그리고 여행에 대한 이야기로 이어진 대화는 마치 새 학기 친구를 사귀는 거와 같은 기분을 선사했다.

그 친구와는 걸그룹에 대해 이야기도 했었고, 남한 드라마 이야기도 했었다. 북한에서는 남한의 매체를 보는 것이 금지가 되어있기 때문에, 돌고 돌아 어두운 루트로 볼 수 있다고 했었다. 그럼에도 남한의 드라마나 가수들은 인기가 좋았다고 했다.

그때 했던 이야기 중 하나였던 일화 중 그에게 걸그룹 '소녀시대' 를 아냐고 물어보니 좋아한다고 해서 누구 좋냐고도 물어보고, 노래도 같이 들어 보기도 하고, 그 당시는 물 흐르듯이 이야기를 나누었다. 그가 먼저 내린 후 돌이켜 생각을 해보니 이런 경험이 돈으로 살 수 없는 값진 경험이라는 것을 느꼈고, 같은 언어를 쓰지만 다른 문화의 사람과 이야기하는 것이 여행했기에 가능 했다 라는 생각을 했다. 아주 묘하지만 두근거리는 좋은 경험을 하게 됐었다.

여담으로 그는 나라에서 정해져 있는 진로로 가야만 한다고 했고, 자유롭게 여행 중인내 모습을 보고, 또 스스로 선택할 수 있는 자유를 부러워했었다. 그의 말을 듣고 나는 대답하지 않았지만 나 속으로 많은 생각을 했었다. 그 당시 나는 대학교 1학년을 다니고 군 휴학은 하고 난 뒤, 제대 그리고 여행으로 이어져 지금까지의 모습이었고, 나는 그와 반대로 알 수 없는 내 미래에 대해서 그때 처음으로 생각했었다.

시베리아 횡단 열차를 타고 여행 중 한국에 있는 친구가 인도여행을 한다고 연락이 왔었다. 그래서 그 친구와 연락하면서 나는 핸드폰으로 세계지도를 펼쳤었고, 세계지도를 펼치면서 나는 어쩌면 또 계획하지 않았던 재미난 여행이 눈앞에 펼쳐질 것 같은 느낌이 들었었다.

러시아에서 출발해서 핀란드, 덴마크, 프랑스, 스위스, 오스트리아, 헝가리, 루마니아, 불가리아, 이스탄불 그리고 인도까지의 대략적인 지도로 루트를 짜고 이동하는 것을 생각하면서 얼마나 알 수 없는 일들이 앞으로 나타날지 하는 생각이 들었다. 각 나라에서는 그곳만의 독특한 아름다움과 경험이 기다리고 있을 거라고, 그런 순간들을 생각하면서 기대했다. 각 도시에서 하고 싶은 것을 하나씩 하고 즐기며 국경을 넘나들었던 기억은 여전히 생생하게 남아있다. 핀란드의 맑은 공기, 프랑스의 로맨틱한 거리, 헝가리의 부다페스트 등 역사적이며, 관광명소들. 이 모든 경험이 나에게는 소중한 보물이었고 각 국경을 넘을 때마다 느껴지는 그 나라의 고유 분위기와 기대감 그리고 새로운 시작의 설레는 느낌은 아직도 잊히지 않는다.

24살인 그때의 나는 자유롭고 모험에 찬 영혼으로 가득 차 있었다. 여행의 매 순간이 나에게 새로운 깨달음과 감동을 주었고, 인도 여행을 향한 친구의 계획도 나에게 기대감을 주었다. 혼자만의 여행에서 같이하는 여행의 또 다른 재미 기대가 된다.

*

모스크바에서 상트페테르부르크로 기차로 1박2일 동안 이동을 하고 상트페테르부르크에서는 핀란드로 버스로 국경을 넘어 이동했다. 핀란드와 러시아는 많은 부분이 달랐다.

먼저, 핀란드의 생활물가는 러시아 물가와 비교해서 보면 상대적으로 비쌌고, 물가 깡패라는 말이 저절로 나올 정도였는데, 러시아에서 먹는 같은 음식이라도 가격이 달라서 그런 말이 나왔었다. 숙소부터 음식까지 모든 것들의 물가가 러시아에 비교해 상대적으로 비쌌다. 그래서 핀란드 헬싱키에서 유학 중인 지인의 도움을 받아 대학 숙소에서 일주일간 머물게 되었고, 그때 비슷한 나이의 외국 친구들에 대해 더 가까이 다가가 친해질 수 있었다. 지인과 함께 한인 마트에서 사 온 라면과, 제육볶음을 해 먹으면서 우리의 문화와 음식도 나눠주고 한국에 대한 이야기도 나누었다. 그들이 처음 맡아보는 찐 한국 특유의 마늘 냄새는 주변의 이목을 끌기도 하면서, 인상을 찌푸리기도 하고 서로의 문화에 대한 호기심을 잔뜩 자극했다. 그런 순간들은 서로에게 새로운 자극이 되었다.

핀란드에서는 오로라를 볼 수 있다. 그래서 오로라 보러 간다고 했었을 때

'세계적인 절경중에 하나인데 얼마나 아름다울까?'

라는 생각을 하면서 나갔다. 생각해 봐라. 별이 쏟아지는 하늘만 봐도 기분이 좋아지는데, 거기에 추가로 영롱하게 보이는 오로라라니.

오로라는 그 기대를 뛰어넘는 아름다움으로 다가왔다. 도화지에 물감을 칠한 듯한 색깔, 그리고 그 빛의 움직임은 정말로 신비로웠다. 밤하늘의 별과는 다른 차원의 경이로움을 느끼면

서, 마치 대자연의 미스터리에 직접 마주한 느낌이었다. 오로라를 바라보며 자연의 힘과 아름다움에 대한 경외감이 더해졌다.

이런 순간을 경험하면서, 나는 자연이 주는 아름다움이 물질적인 아름다움과는 다른 느낌이라는 것을 느꼈다. 밤새 바라보고 싶었으나 날씨가 추워 금방 숙소로 돌아왔었다. 그때 휴대전화로 찍어보려 했으나 당시의 휴대전화가 오로라를 화면으로 담아낼 수가 없어 아쉬움이 남았다. 하지만 오히려 담지 못하니 그 순간만을 오롯이 느낄 수 있어 너무 좋았다.

*

프랑스 파리에서의 경험은 정말로 잊을 수가 없는경험 중의 하나이다. 에펠탑 앞에서의 장면부터 시작해서, 경찰서 방문까지. 파리에서의 모든 순간들이 나를 느슨해진 나를 채찍질을 하며 그동안은 순한 맛이였다고 이제 앞으로 매운맛 여행이기다린다 라고 경각심이 일깨워졌다.

프랑스 파리에 도착해서 숙소에 짐을 풀고 에펠탑 앞에서 사진을 찍어달라고 부탁을 했었을 때, 얼마나 멋진 경관이 담겨 나올까 정말로 마음이 두근두근했다. 하지만 상황은 예상 밖으로 전개되었고, 사진을 찍어주는 사람이 갑자기 달아나서, 핸드폰은 분실하고 망연자실했었다. 일단 상황 수습이 먼저이니, 급하게 인근 한인 숙소에 가서 서브 휴대전화를 사고, 어떻게 대처해야 하는지 도움을 받았다. 그 후에 경찰서로 가서 신고를 하게 되었다. 이제 와서 되돌아보면 차근차근 잘 대처했었다. 근데 그 상황에서는 낯선 땅에서 휴대전화가 없어진 것이니, 연락할 수단이 사라져 혼란 대잔치였다.

핸드폰을 분실 신고하러 경찰서 갔다. 그곳에 있는 경찰들은 이런 사건이 매우 흔하다며 솔직히 말해 되찾기는 힘들다는 말을 해줬다. 그리고 여행자보험에 가입해 놓았다면 안 좋은 기억은 훌훌 털고, 긍정적으로 생각해서 다시 여행을 즐기라는 답변까지 받았다. 처음 그 당시에는 답변을 어쩜 그리 서운하게 하는지 속상한 마음이 컸지만, 지금 돌이켜보니 그때의 답변 이상으로 현명한 답변은 없던 거 같았다. 그 경험은 나를 부정적인 사고보단 긍정적인 사고가 답이라는 생각을 만들어 주었다.

*

파리에서 스위스 취리히로 이동을했다. 취리히에서는 인터라켄으로 이동해 버킷리스트인 스카이다이빙을 해보았다. 버킷리스트인 스카이다이빙을 하기 위해 헬리콥터를 타고하강

전까지는 무섭고 설레고 두근거리는 마음이었는데, 해내고 나니 당당함과 자신감으로 허세가 가득 찼다. 그러나 구매한 비디오를 보니 당시 촬영본에는 한국어, 영어 막 횡설수설하고 아무 말 하고있는 나를 보면서 '놀랬네, 겁먹었고 쫄았네.'를 느낀다. 그때의 나는 여행하는 매일매일 나에게 있어 도전이었던고, 스카이다이빙 역시 그 순간 중 하나였다. 이런 하고 싶었던 경험 그리고 도파민들이 나의 여행을 계속 나아갈 수 있게 해주었던 원동력이지 않았을까 싶다.

인터라켄에서 스카이다이빙하는모습

*

스위스에서의 여정이 끝나고 나서, 다음 목적지는 오스트리아의 인스브루크였다. 이곳에서는 알프스산맥의 줄기에 있는 스키장에서 오후 일정을 보낼 계획이었다. 언제 다시 올지 모르는 여행인데, 알프스산맥에서 스키도 한번 타보고 싶은 생각이 들어 방문했다.

그 스키장의 눈이 특별했는데, 인공눈으로 이루어진 스키장이 아닌 자연 눈이라는 것이다. 처음 경험하는 자연 스키장의 모습이 너무 매력적으로 다가왔었다. 하지만, 현실은 매력적인 것과는 반대였다. 그 이유는 스키장 리프트는 존재하나 길이 금방 사라져 쉽게 보이지 않았고, 길인 줄 알고 알았는데 길이 아니기도 하고, 하강하다 넘어지기도 수십번. 처음에만 자연 눈 스키장이 매력적이었지만, 점점 무서움과 두려움이 스키를 타면 탈수록 나를 엄습해 왔다. 그래도 눈으로 뒤덮인 풍경을 즐기며 스키를 타는 경험은 정말 몇 없을기회일거라 생각했고, 다시는 안 놀러 올 거라는 생각에 열심히 뽕뽑고 본전을 뽑고탔다. 타면서 잘못하다간 다칠 수도 있겠다는 생각이 들어 8시간 이용하려던 생각을 바꿔 4시간 이용하고, 중간에 있는 식당에서 따뜻한 버섯 수프랑 핫도그를 먹고 내려왔다. 아마 끝까지 탔었으면은 여행하면서 병원이라는 것도 경험했으리라 확신한다. 이런 작은 모험과 선택의

기로들이 여행을 더욱 재미있게 만들어주는 것 같았다.

*

오스트리아를 떠나, 헝가리의 부다페스트도 지나고 세르비아, 불가리아를 거쳐 이스탄불까지 계속해서 버스로 국경을 넘는 여행했었다. 동유럽으로 가면서 느낀 점은 인터넷에 동유럽 정보가 별로 없다는 것과 교통수단 앱들의 서비스가 줄어든다는 것이었다. 결국 현지에서 직접 부딪혀야만 하는 상황들이 많았다. 동유럽부터 여행을 시작했었더라면 정보가 없어 두려웠을 텐데, 내가 지금까지 쌓아온 러시아 여행부터 지금까지의 경험과 사건들이 정보가 부족해도 직접 부딪혀 현장에서 해결할 수 있게 그리고 여유가 있도록 해준 것 같았다.

새벽 이동도 더 이상 무서울 게 없을 정도로 익숙해졌었다. 위에 보이는 사진은 세르비아 베오그라드의 버스터미널 대기실인데 노숙자들도 보이고, 이동객들도 보인다. 그들의 대기 모습을 보고 나도 자연스럽게 섞여서 기다렸다. 그들과 자연스레 융화되는 나를 보면서 성장해 나가고 있다는 것을 느꼈던 순간이었다.

동유럽의 감각적인 도시와 다채로운 문화에 빠져들면서, 어느새 나는 동유럽 여행자가 된 거 같았다. 또 세르비아와 불가리아를 지나오면서 느낀 점은 동유럽국가는 아직도 전쟁의 흔적들이 보존되어 있었는데, 전쟁 흔적을 치우지 못한 것이 아니라 안 치운다는 점, 그대로 남아있는 모습들이 문화적인 유산으로서 남겨져 후대에 직접 느끼게 하라는 메시지 같았다. 폭격의 흔적들이 남아있는 도시에서는 그곳의 역사와 문화를 직접 돌아다니며, 건물에 들어가고 만져보고 체험하면서, 그 지역의 전쟁과 힘든 역사를 피부로 느낄 수 있었다. 이런 경험을 통해 나는 역사에 대해서도 생각하게 된 여행이 되고 있었다. 동유럽의 고난과 역사가 그대로 느껴지는 순간들은 나에게 풍부한 사람으로 만들어주고 있었다.

불가리아 플로브디프의 야외 공연장의 모습 현재 보수중인 모습

맥주와 한국 소주로 다져진우정

*

불가리아에서 터키 이스탄불로 이동하고, 그리고 친구를 만나기 위해 곧바로 터키 이스탄불에서 인도 델리로 이동을했다. 뉴델리공항에 도착한 순간, 나는 그 어느 때보다도 강렬한 공기와 분위기를 느꼈다. 러시아, 유럽 국가, 터키에서 느껴보지 못한 에너지와 분위기가 공항 곳곳에 가득했다. 비유하자면 공기에 마살라(인도의 향신료 중 하나)가 함유되어 있는 느낌이랄까. 이곳은 마치 다양한 문화와 인류의 다채로움이 고스란히 놓인 공간 같았다. 분명 여기 인도에서는 기존에 겪었던 것들과는 완전히 다른 경험을 할 수 있겠다는 확신하고 공항을 나와 인도에 먼저 와있는 친구를 보러 움직였다.

델리에 도착하자마자, 마중 나와 있는 친구와의 만나 이야기를 나눴고, 나눈 이야기들은 마치 세계 각지에서 온 이야기들이 교차하는 듯한 느낌었다. 시내로 향해가면서도, 또 숙소에 잠자려 누워서 밤새밀린 회포를 푸는 것도 너무 즐거운 순간이다. 낯선 나라에서 친구를 만났다는 점이 혼자 여행했을 때와 달리 너무 안심되고 든든했다. 그 친구의 사막 낙타 여행, 타지마할, 뭄바이 도시의 이야기와 내가 러시아에서부터 시작된 유럽 국가 해온 여행 이야기의 경험을 나누었다.

친구의 이야기에서는 인도의 사막에서 느끼는 황홀한 아침 일

출과 밤하늘의 묘한 아름다움, 그리고 동양의 신비로움이 물씬 느껴졌고, 반대로 나의 이야기에서는 러시아의 차가운 분위기와 유럽 국가들의 우아함 그리고 내가 경험했던 일들 함께 어우러져 나타나는 다양한 모습들을 전하며, 앞으로 내가 겪을 인도에 대한 궁금증이 자연스럽게 해소되었다.

인도의 다채로운 문화와 풍경에 대한 이야기를 들으면서, 낯선 분위기의 나라들에 대한 이해와 적응이 서서히 진행되었다. 왜 오토바이(릭샤)가 클락션을 계속 울리는지, 소들이 골목골목마다 있는지 등 이런 이야기를 들었다. 나는 인도의 특별함을 느끼면서 동시에 나의 여행 이야기를 친구와 나누어 나가는 과정에서 기존과는 다른 새로운 친밀감을 형성했다. 마치 군대를 동반입대 하는 것처럼 둘만의 추억을 쌓아가면서 기존에 느끼지 못한 또 다른 친밀감을 느끼게 해주었다.

인도에서 두 가지가 가장 기억에 남는다. 그것은 인디아게이트에서 겪은 일과 바라나시라는 도시에서의 2주였다.

첫 번째로는 인디아게이트에서 겪은 일이다. 인디아게이트에서의 경험은 정말로 강렬했다. 그곳에서는 현지인들과의 교류를 통해 인도의 다채로운 문화와 역동적인 에너지를 직접 체험할 수 있었는데 관광지에서 펼쳐지는 행사에 참여하면서, 나는 인도의 특유 활력 넘치는 분위기에 아주 흠뻑 빠져들었다.

그 경험은 바로 인디아게이트에서 사진기사가 나에게 다가왔었다. 그들은 나에게 기념적인 관광지에서 사진을 찍어주겠다고 제안했고, 오늘이 첫 손님이라며 모든 사진을 10달러에 제공하겠다고 했다. 이런 제안은 '좋은데?' 생각하면서도 사기 같아서 의심스러웠다. 그러나 계속해서 물어봐도 그는 10달러에 모든 사진을 제공하겠다고 했다. 의심스럽지만 나는 그 제안을 받아들여 30분 동안 사진을 찍었고. 마음에 드는 20장을 선택해 그가 사진을 현장에서 인화했다. 그러나 여기서 문제가 발생했다. 분명 모든사진을 10달러 라고, 말했던 것이 인화하니, 1장당 10달러라고 말이 바뀌었던 것이었다. 나는 모든 사진에 대해 200달러를 지불해야 하는 상황에 부닥쳤고, 이에 분개한 나는 왜 나에게 사기를 치냐고 주장했지만, 그는 나에게 왜 사기를 치냐고 적반하장으로 내게 큰소리를 내며 주위에 있는 동료 기사들을 불러 내 주머니의 돈을 뺏으려는 듯한 상황이 벌어졌다. 나는 협박하지 말라고 말했지만, 그들은 계속해서 나에게 큰소리를 치면서 주위의 인도인들에게 나를 범죄자로 몰아넣으려 했다. 언성이 오가며 30분 같던 10분이 흐르고, 답도 안 나오는 상황이고 점점 더 몰려오는 사람들과 심상치 않은 상황에, 나는 주머니에 있는 10달러를 주고 그곳을 떠났다. 당황한 나는 돈을 주고 도망쳐 나왔는데, 사진을 몇 장이라도 가지고 올 것을 후회한다. 사진이 잘 나오기도 하고 내 몫을 못 챙긴 느낌이 든다. 그 상황에서 나를 돕지 않고 멀리서 구경만 하는 친구에게는 너무나도 굉장히 서운한 감정이 남아있었다.

그래서 친구에게 '왜 내 편을 들어주지 않았냐, 싸움이나도 모

지랄판에 모르는 사람인 척 구경하고 있었느냐고.' 했더니, 친구 말이

'내가 거기에 있어서 네 편을 들어줬으면은 일이 더 커져서 수습이 안 되고 큰 일이 났을 거다'라고 말을 했었다. 나는 그 말을 듣고 탐탁지 않았지만 수긍하는 척하며, 인디아게이트를 다시 한 바퀴를 돌고 귀가를 했다.

친구가 인디아게이트에서 찍어준사진

*

델리에서 바라나시로 이동했고, 바라나시에서 2주간을 보냈다. 특별한 관광명소를 찾아다니는 것보다는 갠지스강을 바라보면서 돌계단(가트)에 앉아있는 것만으로도 특별한 경험이었다. 나는 돌계단이라 불리는 가트에서 하루 종일 머물며 여러 가지를 생각하고, 사색하는 시간을 즐겨 가졌다. 그곳에서만의 특별한 뭔가가 확실히 있다. 갠지스강에서는 하루 종일 강가에 시체를 화장하는데, 그 모습을 목격하면서 생명과 죽음에 대한 처음으로 생각하게 되었다. 실제로 화장되는 모습들을 바라보면은 별의별 생각들을 하게 된다.

바라나시의 가트에서 보낸 두 주 동안 나는 인생에 대해 많은 생각을 했다. 돌계단에 앉아 멍하니 하늘을 올려다보며, 시체가 화장되는 모습과 함께 생명의 희생과 죽음의 순환에 대해 생각해 봤다. 그중 화두에 오른 질문 중 하나는

'인생이란 무엇일까?'

라는 질문이었다. 정말 복잡하고 철학적인 주제지만, 그곳에서 느꼈던 감정과 생각들은 더 깊은 해답을 찾게끔 했다. 돌계단에 앉아 강을 바라보고 있으니, 인생은 마치 강처럼 흘러가는 것 같다는 생각이 들었고, 강은 때로는 조용하게 흐르고, 때로는 거센 폭포처럼 흘러간다. 그리고 모든 것은 결국 강으로 돌아가

는 것 같았다. 사람들은 강처럼 여러 경험을 통해 성장하고, 삶의 흐름을 따라 흘러간다. 때로는 폭포처럼 장애물에 부딪혀 힘들게 느낄 수 있지만, 그 경험들이 우리를 더 강하게 만들고, 더 깊이 생각하게 만들지 않을까 생각한다. 인생은 마치 강물처럼 변화무쌍하며, 그 안에는 다양한 감정과 경험이 깔려 있다.

바라나시의 돌계단에서의 사색은 '뭐든지 생각하기 나름이라는 생각도 하게 되었다. 갠지스강은 매우 독특한 존재로, 객관적으로 보면 시체 화장, 빨래, 목욕, 동물의 배설물 등이 혼재되어 위생적이지 않은 면모도 있다. 그러나 이 강은 인도 사람들에게는 어머니의 강으로 여겨져 성스럽고 신성한 강으로 존경받고 있다. 인도 문화에서 갠지스강은 숭고한 신성성을 지니며, 이 강에서의 행위들은 종교적으로 깊은 의미가 부여되며, 시체 화장은 죽은 자의 영혼이 더 나은 새로운 삶으로 옮겨가도록 하는 의식으로 여겨지며, 빨래와 목욕은 정화와 신성함을 상징하기도 한다.

갠지스강은 이처럼 인도 사람들에게는 중요하게 여겨지나, 내가 봤을 때 객관적으로는 위생적이지는 않다. 강을 어떻게 생각하고 받아들이느냐 와 같이 생각하기 나름인 거 같다. 갠지스강은 인도 사람들에게 살면서 꼭 한번은 오는 도시라고 한다. 또 그곳에서 사람들의 이야기와 만남은 마치 강의 각 지점에서 만남과 헤어짐을 의미하듯이, 우리의 삶도 다양한 만남과 작별을 통해 더 풍부해진다. 나는 그곳에서 다양한 국가의 사람들에게 얻은 인사이트가 나의 삶에 한층 더 넓혀진 시야를 제공해 준 것 같다. 결국, 인생은 끝없는 여행이자 사색의 공간이라는 생각이 들었다.

*

또 인도에서 잊을 수없는 것 중 하나인 짜이와 라씨이다. 짜이는 정말 독특하고 매혹적인 맛이었는데, 그 향긋하고 특유의 향이 입안을 가득 채운다. 많이 마시는 것도 아닌 조금 아쉽다라고 느끼는 반 잔 정도의 양을 흙 컵에 항상 따라준다. 인도에서 인상 깊었던 것이 흙으로 만든 컵인데, 그 컵에다 음료를 주면 괜히 더 맛있는 거 같았고, 다 마시면 그냥 바닥에 깨뜨려 버린다. 그 행동과 컵이 나에게 인상 깊게 다가왔다. 컵도 다시 자연으로 순환시키는 모습에 '왜 한국은 그렇게 안 할까?' 등 인도만의 배울 점들이 곳곳에 있었다. 짜이를 생각하면 그 특유의 진한 향이 마치 인도다움을 자연스레 떠올리게 해준다.

라씨는 달콤함과 신맛이 어우러져 있다. 나는 라씨를 인도에서 꼭 먹어봐야 한다는 여행객들의 말에 요구르트 대체품이라고 생각하면서 마셨는데, 먹을 때마다 걸쭉한 게 고급 유제품이라 생각이 든다. 그리고 요구르트 1개면 모자라는 것처럼 라씨도 항상 1개는 모자라서 더 마시고 싶다는 생각이 항상 들었다.

한국에서도 파는 라씨를 찾아 마셔봤지만, 그 진한 맛과 토핑과일의 맛은 쉽게 대체되지 않았다. 아마도 그곳에서 느꼈던 특별한 분위기와 함께 먹은 것이 그 맛을 더욱 독특하게 만들었던 것 같다. 나에게는 그 특별한 인도의 느낌과 맛이 그리워 다시 재방문할 만한 거 같다.

인도에서의 여행은 어느 다른 나라들보다 정말 독특하고 특별한 경험이었는데, 내가 방문한 도시마다 시내 역세권 쪽은 항상 시끄럽고 정신이 없었다. 인도의 거리는 항상 붐비고 시끄럽지만, 나에게는 시끌벅적한 것이 맞았다. 단언컨데 가장 시끌벅적한 도시는 델리이지 않을까 생각한다. 복잡한 그 모습들은 마치 혼돈 속 나름의 규칙이 있는 조화로움을 느꼈는데, 비유하자면 마치 퇴근 서울지하철 2호선 같은 느낌을 받았다.

인도에서의 여행은 혼자 여행했던 나에게 둘이 하는 여행의 재미와 매력을 알게 해주었고, 덕분에 소중한 친구와의 추억도 쌓게 해준 나라였다. 원숭이들이 빨래감도 훔쳐 가고, 인도 사람하고 싸우기도하고, 티베트 사람들이 있는 곳으로 가서 버팔로(물소) 고기도 먹기도 하였다. 나에게 그런 순간들이 여행을 더욱 풍성하게 만들어주고 말로는 전부 표현할 수 없는 그런 여행이었다.

Terrace House
BABA LASSI IS THE BEST LASSI IN INDIA
I ♥ BABA LASSI
BARA LA
SHOKI
WOW!!
Привет из Казахстана!
Osho Bhagawan aur Samdarshi Baba Ki Jai!

인도 델리공항에서 네팔 카트만두공항으로 향한다. 비행기에서 보이는 히말라야산맥들을 바라보는 아름다운 자연과 다채로움에 반해 기대감과 설렘으로 가득 찼다. 네팔에서는 여행이 아닌 자원봉사를 했었다. 한국에서 비로자나청소년협회에서 개최하는 네팔 청년 국제 자원봉사에 신청해서 나는 해외에서 네팔로 이동하여 바로 참여하게 되었다. 그곳에서의 경험이 나에게는 뜻깊은 기억으로 남아있다.

현지센터에서는 한글 교육을 비롯해 한국문화를 소개하는 다양한 활동에 참여했다. 한글로 인사를 나누는 것부터 시작해 벽화 그리기, 히말라야 트레킹까지 다채로운 활동들이 나에게 새로운 시야를 열어줬다. 특히 한글을 가르치면서 그 언어의 아름다움과 한글의 과학성을 다시 한번 느낄 수 있었다. 현지 주민들과 소통하고, 서로의 문화를 교류했다. 한글 교육봉사를 맡게 되었을 때, 나는 언어의 힘과 중요성을 새롭게 깨닫게 되었다. 중학생들부터 성인취업반까지 다양한 연령층에게 한글을 가르치면서, 이 언어의 우수성과 과학성에 대한 깊은 이해를 몸으로 체감할 수 있었다. 누구나 쉽게 익힐 수 있는 언어라는 사실에 더욱 감동하며, 한글의 아름다움을 더욱 깊이 느낄 수 있는 좋은 기회였다.

2주간의 교육봉사와 벽화 그리기 활동을 통해, 나의 발길과 손길이 현지 주민들에게 닿는 순간순간마다 행복을 느꼈다. 한글과 영어로 소통하며 서로의 언어의 매력을 전하고, 나의 지식과 경험을 나누는 과정에서 나는 더 큰 의미를 찾을 수 있었다. 이 경험이 나에게는 봉사의 소중함과 언어 교육의 가치에 대한 깊은 깨달음을 안겨준 순간이었고, 현지에서의 교육봉사는 나에게 성장을 선사하며, 더 많은 의미를 부여해 주었다. 이 경험을 통해 나는 봉사의 소중함과 언어 교육의 가치를 깨닫게 되었고, 현지 주민들과의 소중한 인연을 만들 수 있었다.

네팔에 방문했을 당시, 네팔에서는 지진피해를 계속 복구하고 있었고, 나라 재정난에 의해 빠른 복구는 힘든 상황이였다. 그런데도 사람들은 힘들더라도 웃음과 긍정적인 마음가짐으로 생활했었다. 현지 상황이 힘들더라도, 그들의 긍정적인 마음가짐은 나에게도 긍정적인 영향을 주었고. 모두가 어려운 상황에서도 희망을 잃지 않고 앞으로 나아가려는 모습이 너무 인상적이었다. 나는 그들의 긍정적인 사고 에너지를 받아, 어떤 상황에서도 긍정적으로 대할 수 있는 자세를 가져야겠다고 생각했다.

여행하면서 느낀 점과 네팔에서도 비슷한 공통점들을 느꼈는데, 부정적으로 바라보면 계속 부정적으로 사고를 하고, 긍정적으로 바라보는 것이 삶에 있어서 중요하다는 것이다. 네팔의 사람들은 어려움에도 불구하고 자신들만의 긍정적인 세계를 만들어가고 있어서 정말로 존경스러웠다.

또 네팔에서는 한국의 문화가 퍼져나가고 있었다. 나는 k-pop 열풍을 직접 목격한 것은 처음 이였는데, 네팔에서 알게 된 사실은 학생들과 학부모님들도 남녀노소 누구나 BTS에 대해 알고 있었다는 것이었고, 이를 통해 한국어와 한국 문화에 대한 높은 관심이 두드러졌다는 것을 알게 되었다. 덤으로 한국 사람인 나에게도 한 번도 받아보지 못한 큰 관심에 몸 둘 바를 몰랐다. 뉴스로 아는 것과 현지에서 직접 피부로 와닿아 알게 되는 것이 천지 차이였다.

*

한글을 가르치면서 나는 그들에게 네팔과 한국 사이의 소중한 다리 역할을 할 수 있다는 자부심을 느꼈다. 비록 큰 다리 역활은 아니지만 이번 기회에 한국에 대한 긍정적 이미지를 갖게 되어준다면 충분하다고 생각했다. 학생들도 자발적으로 한국어와 한국 문화에 대해 알아가고 싶어 하니, 나도 진행하면서 더 많은 힘을 받은 느낌이었고, 그 순수한 호기심과 관심이 문화간의 교류를 통해 앞으로 더욱 긍정적으로 문화교류가 이어질 것이라 믿었다.

또한, 네팔의 학생들이 한국 문화에 대한 깊은 관심을 보이는 것에 대한 뿌듯함과 동시에, 우리의 문화가 세계적으로 어떻게 수용되고 소통되고 있는지에 대한 새로운 시각에 대해 눈을 뜨게 해주었다. 이런 이해의 과정은 나에게 의미가 있었고, 서로 다른 문화 간의 소통이 얼마나 중요한지를 깨닫게 해주었다.

벽화 그리기를 하면서 정말 따뜻하고 의미 있는 경험을 했다. 비록 전문적인 기술은 아니었지만, 그림을 그리는 과정에서 해당 동네 지역의 삶과 문화에 우리의 흔적을 곁들어 담아내어 완성하니 우리가 그 지역사회와 소통의 다리가 된 것 같았다랄까, 해냈다는 것과 묘한 느낌을 받았다.

아이들이 다니는 학교 교실 외벽에 그림을 그리면서, 연꽃과 이름 모를 들꽃들을 그렸다. 그림을 통해서 지역사회와의 유대감을 높이고, 함께 어우러진 느낌이 참 특별했다. 벽화는 그 학교 학생들에게도 학교에 자주 오고 싶은 느낌을 주었을 테고, 그들의 신나는 모습을 상상하면서 나도 뿌듯함과 행복이 가득 찼다. 우리가 그림을 그리는 동안 몇몇 아이들이 놀러 와서 지켜보고 기뻐하는 모습을 옆에서 지켜보니 내가 더 즐겁고 마음이 힐링 되는 벽화 그리기 활동이였다. 벽화 그리기는 처음이지만, 벽화그리기 봉사하는 이유를 어렴풋이 알게 되었다.

내 생각에 벽화 그리기 활동은 어느 지역에서든 순수 그림만으로도 소통과 이해할 수 있다고 생각하고, 소통의 다리라는 역할을 할 수 있다고 생각한다. 벽화 그리기 활동의 영향이 크지 않지만, 그 지역사회에 따뜻한 소통의 기회를 제공했을 것이라고 믿고, 그리고 이런 노력이 지역 사람들에게 긍정적인 영향을 미칠 수 있기를 진심으로 바라고 있다.

벽화 마무리 사진

*

교육활동을 마친 뒤, 카트만두에서 포카라로 이동을했다. 히말라야산맥 트레킹한다는 말을 들었을 때 '과연 내가 할 수 있을까?' 라는 생각이 먼저들었다. 대한민국에서 흔히 경험하는 등산과는 차원이 다르면서도, 도전과 모험, 아름다움이 함께 어우러진 그 특별한 트레킹 경험은 나에게 새로운 시야를 열어주었다. 포카라로 이동하는 순간부터 이미 기대와 설렘이 가득했다. 그 이유는 포카라로 이동하는 동안 보여주는 히말라야의 숨 막히는 아름다운 높은 산봉우리들이 우리를 맞이하고 있었기 때문이다. 나는 자원봉사 팀과 함께 마르디히말코스를 트레킹하는 할 계획이었고, 네팔 시장에서 만만의 준비하고 시작했다. 그 과정에서 가장 먼저 해야 할 일이 입산 허가증 발급이었다. 이 허가증은 트레킹을 원하는 사람들이 해당 지역에 입장할 수 있는 권한을 부여하는데, 그 이유는 여러 가지 측면에서 중요한 역할을 하는 것 같았다.

첫째로, 등산객들의 신원 파악이 필요하다는 것인데, 매년 트레킹하는 사람들 사고가 잇따라 나온다. 등산객의 안전을 위해 미리 신원을 파악하고 관리하는 것이 중요하다 생각이 들었고, 언제든지 예상치 못한 상황에 대처, 대비하기 위해서는 누가 어디에 있는지를 파악하는 것이 안전에 큰 도움이 될 거란 생각이 든다.

둘째로, 지역 생태계 및 환경을 보존하는 데에도 입산 허가증이 큰 역할을 하는 거 같다. 허가증 발급받는 데에도 일정 금액을 지불하는데, 자연생태계를 보존하기 위해 그 금액들이 모여 수많은 비용 중 일부 도움이 되지 않았을까 생각이 든다. 네팔 포카라라는 지역은 많은 사람들이 트레킹을 위해 방문을 하는데 이를 통해 그 자연을 즐길 수 있도록 함께 보존하는 마음도 드는 거 같았다.

허가증을 통해 트레킹하는 인원을 통제하고, 그에 따른 환경 보존할 수 있구나의 두 가지 점을 느꼈다.

이런 입산 허가증 발급 절차를 거치면서 전 세계의 수많은 사람들이 '무슨 이유로 트레킹을할까?' 라는 생각이 들 때, 우리의 트레킹 대장이

'산을 타는 것은 우리의 인생과 같다. 이번 기회에 인생에 대해 생각을 해봐라.'

라는 조언을 해주었다. 그 말에는 인생에 대해 심오한 고찰을 해보아라는 것이겠지만 솔직하게 말하면 나에게 마르디히말코스 트레킹은 힘들었고, 특히 장시간 동안 산을 타고 있다는 것은 자체가 내게 큰 도전이었다.

평소에 짧은 시간 동안 집중해서 일을 하는 것은 잘하곤 했었다. 그런데 이렇게 장시간 동안 컨디션을 조절하면서 활동하는 것은 나에게는 새로운 경험이고 도전이었다. 특히나 히말라야의 고산지대에서의 트레킹은 역대급 도전이었고, 나의 부족한 점들을 동시에 느낄 수 있었다.

나는 자연과의 조화, 인생의 방향 그런 건 잘 모르겠고, 그냥 내가 이렇게 높은 산에 오르고 있다는 것 자체에 집중하게 되었다. 물론 어려운 길과 힘든 상황들이 있었지만, 그 순간에는 오롯이 한발 한 발 조심히 내디디면서 앞으로 나아가는 것에

집중했다. 트레킹을 하면서 인생에 대해 생각을 해보라는 충고는 나에게는 아직 의미를 부여하기는 어려웠지만, 나는 새로운 도전에 대한 용기와 인내력을 길러나갈 수 있었다. 모든 것이 완벽할 필요는 없다는 것, 내가 지금 하는 일에 최선을 다한다면 어떤 상황이라도 극복할 수 있을 거라는 자신감을 알았다.

그리고 혼자서는 트레킹완주를 하지 못했을 거라는 확신. 더 나아가 인생은 혼자가 아닌 상부상조하면서 살아가야겠다는 것을 알았다. 조그마한 수첩을 가져가 쉴 때마다의 느낌을 적어놨었는데, 수첩에는 욕설이 난무하고 과 너무 힘들 다라는 것 그리고 함께여서 가능했다는 점이 적혀있었다. 내가 앞장서 이끌어줄 때도 있었고 뒤에 서서 도움을 받기도 하고, 수첩을 가끔 보면 그때 생각이 나면서도 짠하다. 모두 고산병 없이 무사히 하산하였고, 세계의 산을 나름 정복했다는 성취감도 얻었다.

트레킹을 끝으로 여행의 종착점을 마무리 지었다. 블라디보스토크에서 시작해 시베리아대륙을 횡단하고, 유럽대륙에서는 북유럽에서 C 자모양으로 동유럽으로 터키 인도 네팔까지 짧다면 짧고 길다면 긴 여행이였다. 잊을 수 없고, 잊혀지 않을 첫 배낭여행을 이렇게 가게 되어 너무 행복했었고, 한국 돌아가는 비행기에서 '결국 내가 한국에 돌아가는구나.'를 생각하면서 떨떠름하면서도 믿기지 않았다.

약 4개월에 걸친 배낭여행과 자원봉사를 통해 멋진 경험을 쌓았다. 삶은 언제나 내가 기대하는 대로 흘러가는 것만은 아니라는 것을 깨달았고, 그렇지만 뜻대로 되지 않는 일들 속에서도 더 큰 성장과 좋은 일들이 숨어있다는 것을 알게 되었다. 어떤 상황에서도 긍정적인 면을 찾아내고, 그 순간을 최대한 즐기며 나아가는 것이 중요하다는 것을 배웠다.

여행 중에는 많은 사람들을 만났다. 그중 내가 닮고 싶었던 그리고 기억에 남는 배낭여행 하는 가족들이 생각이 난다. 그분들의 이야기를 들으면서 다짐한 것이 있다. 나도 나중에 내 가정을 꾸려서 다 같이 세계 배낭여행을 하고 싶다는 버킷리스트가 생겼고, 삶은 가만히 있는 것보다는 행동하고 노력하는 것이 더 많은 기회를 만들어낼 수 있다는 것을 깨달았다. 그리고 내가 다가가야 상대방도 나에게 다가오기가 더 쉽다는 있다는 것도 느꼈다. 그러한 노력과 행동을 통해 뜻밖의 기회들도 찾아오기도 했다.

일상생활 속 기쁨과 어려움, 성공과 실패, 모든 경험이 나를 더욱더 강하고 성숙하게 만들어가고 있다는 것을 느낄 수 있었다. 이제는 앞으로 사회에 진출하게 될 일만 남았는데, 앞으로 내가 무슨 일을 할지는 모르지만, 어떤 마음가짐으로 일을 해야 할지는 알았다.

*

내 좌우명이 생겼다.

'뭐든지 하면 된다. 그리고 말보다는 행동으로.'

어떤 일이든 나 스스로 적극적으로 행동하고, 주변의 모든 순간을 소중히 여기며 나아가는 것이 삶을 더 행복하게 만들어준다는 것을 느꼈다.

2
첫 취직 그리고 풍물단

여행을 마친 후, 나는 내가 원하는 삶을 살아가기 위해서는 안정적인 직장보다는 기술을 습득하는 것이 맞는다고 느꼈다. 그래서 30살이 되기 전에 많은 기술들을 배워봐야겠다고 생각 했다. 기술을 배우기 위해 알아보던 중, 내 주변에 기술자 분이 누가 계시는가 생각했더니 부모님이 제일 먼저 생각이 나서 찾아가게 되었다.

부모님이 가방공장을 운영하시는 것을 보면서, 나는 제일 먼저 기술을 그곳에서 배울 수 있겠다고 생각했다. 그래서 나는 부모님의 공장에 취직했다. 처음에는 당연히 아무것도 모르는 초짜였고, 눈치도 요령도 모든 면이 부족하고 어려움이 많았다. 그리고 내 월급은 120만 원을 받으면서 일을 했었다. 그때가 나의 첫 사회진출 이었다.

당연히 처음부터 기술을 알려주지 않았다. 그 이유는 기술부터 배우면은 다칠 수 있고, 겉넘는다고 말씀을 해주셨다. 능숙하게 기술을 다루고 싶은 면은 수없이 많은 반복연습을 하고, 머리로는 알되 몸이 먼저 움직여야 한다고 말씀을 해주셨다.

일을 시작하면서 나는 보조 역할(뒷모드,시다)을 담당했고 옆에서 설명을 듣고 배우고 익혔다. 부모님이 말로 설명해 주시면, 그 설명을 녹음하여 연습했다. 연습은 주로 야간작업을 할 때 녹음을 들으면서 반복 학습을 했다. 기술적인 부분에서 어려움을 겪을 때면 다음 날 부모님께 질문하고, 궁금증을 해소하려고 노력했다. 기술을 배우는 것은 쉬운 일이 아니였다. 손이 항상 거칠었고, 칼에 자주 베이기도 했다. 또 어느 날은 재단 작업을 하다 엄지손가락에 있는 손톱을 날려, 병원에서 봉합수술을 하기도 했었다.

기술을 배우는 동안은 논산에 계신 부모님과 함께 살면서 덤으로 삶에서 얻는 지혜도 함께 배웠었다. 그리고 부모님과 함께한 소중한 시간 속에서 생활 습관, 윤리적인 가치관, 그리고 더 나아가서는 사회 속에서 어떻게 성장해 나갈지에 대한 고민도 나누었다. 이 과정에서 나는 단순히 기술을 배우는 것을 넘어서, 더욱 깊은 의미 있는 삶의 가치를 배울 기회를 얻었었다.

녹음된 내용을 들으면서 반복적인 학습을 통해 습득하려고 노력했고, 이러한 노력을 통해 나 자신을 발전시키고 있었다. 빠르게 기술자(베테랑)가 되는 법은 없었고, 오직 정직하게 반복 숙달만이 정답이라는 것을 알았다. 24살 3월에 취직해서 28살 2월 까지 일을 배웠다. 그동안 재단 칼 사용법, 재단법, 재봉틀 조작법, 가방 만드는 법, 패턴 만드는 법 등 기술적인 부분뿐만 아니라 성실이라는 귀한 보물까지도 전수하였다. 어렸을 때부터 부모님의 일을 보고 성장해 왔지만, 학생 때는 일에 관심이 없었고, 이번 기회에미처 알지 못한 부분들까지 일을 하면서 옆에서 많이 보고 배웠다. 새삼 몰랐던 사실을 알게 되어 부모님에게 존경심까지 생겨났다. 현재에도 일 혹은 고민에 대해 모르는 부분이 있으면 찾아뵙고 여쭈어본다.

*

공장이 논산시 연산면에 자리 잡고 있다 보니, 자연스럽게 연산풍물단에 가입하게 되었다. 국악이라는 음악을 처음으로 접하면서, 한국 국악의 아름다움에 접하게 되었고, 연산풍물단에속해 활동하면서 웃어른들과의 만남과 소통을 통해 공경과 공동체의 가치에 대해 이해하게 되었다.

그리고 대전에서는 느껴보지 못한 공동체를 논산에 와서 깨달았다. 풍물단은 연산면 주민들로 이루어져 있고, 서로가 매우 긴밀했다. 가까이 지내다 보니, 서로에게 도움을 주고받는 모습들과 이끌어주고 당겨주는 모습들을 보면서 도시에서는 잊혀가는 모습들이 아직 농경사회에서는 건재하다는 것을 느꼈다. 연산 풍물단 활동을 통해 한국의 국악 문화와 예술을 더 깊이 이해하고, 이를 통해 지역사회와 소통하며 색다른 매력을 느끼고 배웠다. 이러한 경험은 나에게 인생의 풍요로운 과 진정한 공동체란 무엇인지를 안겨줬다.

어른들과의 대화를 통해 사회적인 위치와 교류, 대화의 방식에 대해 배움을 얻을 수 있었고, 연산풍물단에서의 활동을 하니 내 나이는 자식보다는 어린 나이였다. 그래서 젊은 총각이라는 애칭으로 많은 이쁨을 받았다. 나를 이뻐해 주시니, 나도 자연스레 말과 행동을 한 번 더 생각하는 등 예의라는 것을 자연스레 몸소 배우게 됐다.

풍물단 막내로서 받는 이쁨은 자연스레 어른들에게 예의와 공경을 일깨워주고, 어른들과 잦은 소통을 통해 사회에서는 상황에 맞게 말과 행동을 어떻게 해야 하는지 많이 배웠다. 풍물 가락도, 지혜 탐구도 더 열심히 노력하고 배우려고 노력했다. 내가 막내로서 받는 사랑과 이쁨에 보답하고자, 능동적으로 일에 참여하며 자신을 계발하는 이런 경험들은 나에게 자신이 어느 위치에서 어떻게 더 성장하고 발전할 수 있는지에 대한 인사이트를 제공했다. 현재는 대전에 있느라 활동을 못 하지만 풍물단에서 2년의 활동을 통해 배운 것들이 나의 삶에 긍정적인 영향을 끼치는 중이다. 연산풍물단을 통해 얻은 것들이 나의 삶에 긍정적인 영향을 끼쳐주는 중이다.

3.
내가 농촌에서 경작하고 경험한 일들

공장에서 일을 하다가 우연한 기회로 덕암리에 계시는 이모님이 관리하시던 축사를 맡게 되었다. 당시 나는 소에 대한 지식이 전혀 없었기 때문에, 내가 할 수 있겠느냐는 생각을하고 있었다. 근데 한편으로는 축사 관리라는 새로운 도전이 기대됐고, 이때 아니면은 이런 기회가 오지 않을 거 같다는 생각이 들어, 해보고싶다고 말씀드려 시작했다. 처음에는 소에 대해서도 몰랐고, 더 자세히 말하면 번식우와 육성우도 몰랐었다. 번식우는 송아지를 낳는 소를 말하고 육성우는 우리가 음식으로 먹는 소를 말한다.

내가 관리해야 하는 축사가 번식우 축사인지도 몰랐었다. 소에 대한 기본 지식도 없었고, 축사 관리에 필요한 작업을 처음부터 배워야 했다. 이런 내심정을 이모님이 아셨으면은 불안해 하셨을거같다. 그렇지만 이러한 도전 속에서 소와 함께 시간을 보내며, 농장 생태계에 관해 공부하게 되었다. 논산시에서 교육이 있으면은 저녁에 시간 내 도강도 하면서 배웠다.

번식우 농장 관리에는 소와의 소통 및 관찰이 매우 중요하다는 것을 깨달았다. 소들의 건강을 유지하고 번식을 원활히 진행하기 위해서는 세심한 주의와 관리가 필요했다. 처음에는 무섭기도 하고 어려웠지만, 시간이 지날수록 소들도 나를 알기 시작했고, 나 역시 소들이 익숙해졌다.

*

축사를 맡게 되자마자, 사건이 생겼는데 바로 축사를 맡게 된지 이튿날, 축사에서 송아지가 태어났다. 그날은 정신이 하나도 없었다. 그 이유는 새 생명이 시작되는 것을 목격하면서도 처음으로 출산 과정을 본 나는 생명의 아름다움과 고귀함을 느낄 수 있었다. 하지만 새 생명이 시작되었다는 것은 동시에 책임이라는 것을 가지게 되었다는 것을 의미했다. 특히 그 당시에는 날씨가 매우 추워서 송아지의 체온유지 하는 것이 정말 중요했다. 이런 상황에서 나는 낮이고 밤이고 이모님과 수의사 선생님에게 수시로 전화를 걸기도 하고, 유튜브 등을 참고하면서 축산업에 대해 열심히 학습과 생생한 실전을 동시에 병행해 배웠다.

'연습이란 없다 오직 실전뿐' 인 자세로 임했다.

새로 태어난 송아지에 대한 돌봄과 관리는 정말 세심한 주의가 필요했는데, 그 이유는 내가 송아지에게 하는 작은 조치도 송아지에게는 큰 반응이 일어나기도 하고, 또 어미젖을 안 먹으면 송아지의 건강에 큰 악영향을 미치게 되어, 나는 동물병원에서 초유를 타와서 먹이기도 했다. 모든 게 처음이라 동네 축사하시는 분에게도 찾아가 여쭤보면서 귀찮게 했었다. 지금 생각해 보면 물불 안 가리고 무식하게 찾아봤던 거 같은데, 살아있는 생명을 돌보는 것이니 눈앞에 보이는 거 없이 행동했던 거 같았다.

그래도 끊임없는 질문들은 계속 발생하는 상황들과 동물에 대한 애정에서 비롯된 것이었다. 소중한 생명을 돌보는 과정에서 나에게는 확실한 지식과 조언이 필요했었기에 여쭤보고 확실한 조처를 하는 게 맞는다고 생각했다. 그렇게 수의사 선생님에게 질문하고 도움을 구하는 과정에서 나는 많은 것을 배우게 되었고, 소와 함께 보낸 그 시간은 나에게 돈으로 매길 수 없는 귀중한 경험이 되었다. 소의 건강과 행복을 위해 끊임없이 노력했던 그때의 경험은 나를 더욱 성장시켜 주었다.

*

초유의 중요성은 송아지의 초기 발달 상태와 면역력에 아주 큰 영향을 끼친다. 송아지가 바로 어미젖을 못 먹을 때에는 영양과 면역체계에 악영향을 줘, 병원에서 제공되는 초유를 먼저 먹이고 나서 기운 차린 송아지에게 어미젖을 먹이게 하는 학습과 연습을 시켜서 젖을 먹게 하는 습관을 들여줘야 했다. 어미젖을 먹는 방법을 알게 해주고, 송아지가 잘 섭취하면 건강한 성장과 강화된 면역체계를 갖게 된 송아지가 되는 거다.

하지만 어미젖을 먹이려 할 때, 가장 두려웠던 것은 어미의 뒷발차기였다. 어미 소는 뒤에서 다가오는 위협에 대해 뒷발차기를 하는데, 그 순간만큼은 긴장의 연속이었다. 송아지에게 어미젖을 먹이기 위해 접근할 때마다 어미 소의 반응을 예측하면서 끈을 사용해 한쪽 뒷다리에 하나, 배 쪽에 하나씩 두 개의 줄을 이용해 묶어 송아지에게 젖을 먹였다. 어미 소의 뒷발차기는 많은 축산업 종사자가 다치는 사고의 주원인 중 하나라고 한다. 이런 상황에서 어미 소와도 소통하며 송아지를 돌보는 일은 정말 긴장되는 순간이었지만, 동시에 소와의 소중한 소통이라고도 생각했다.

*

비교적 송아지를 통제하는 것은 상대적으로 간단하지만, 반면에 어미 소를 다루는 것은 쉽지 않았다. 어미 소, 특히 번식우 농장에서는 발정주기를 이해하고 그에 따라 수정 조치를 취해야 했다. 초산인 암소의 경우 발정이 시작해서 하루 정도의 수정 가능한 시간이 있었고, 초산이 아닌 암소의 경우에는 반나절

동안의 수정 가능한 시간이 있었다. 이러한 정보를 정확히 파악하기 위해선 발정 시작 시간을 정확히 알아야 했고, 설치된 CCTV를 돌려봐서 언제 시작했는지를 파악하고, 수정사 선생님에게 전화를 걸어 확인하는 등의 작업을 해야 했다.

이런 작업은 정확한 타이밍과 세심한 관찰이 필요한데, 특히나 번식우 농장에서는 송아지도, 어미 소도 관찰하는 게 아주 중요하다는 것을 느꼈다. 언제나 예측불가능한 상황 속에서 최상의 돌봄을 제공하기 위해 끊임없이 노력하고 배우는 일이었다. 처음에는 소를 관리한다는 것이 생각보다 간단한 작업(밥 주기)일 것이라고 생각했지만, 현실은 내 예상을 훨씬 뛰어넘는 많은 일들 과 어려움으로 가득 찼다. 겉으로 보이는 것보다 훨씬 복잡하고 예상치 못한 일들이 끊임없이 나를 두들겼고, 생명을 돌보는 일에는 위생, 건강, 사료, 영양, 날씨, 번식 등 다양한 요소들을 주시하고 적절히 대응해야 하는 일이라는 것을 깨달았다.

가끔은 예상치 못한 날씨, 폭우와 같은 일들이 소의 건강에 영향을 미치는 상황이 발생하기도 했다. 이런 상황에서는 축사 안에 빗물이 들어가지 못하게 천막을 내려줘야 한다. 근데 소가 또 천막을 씹어먹을 수 있으니, 알아서 적당한 높이에 내려야 한다고 했었다. 이런 일들 포함해서 관리하는 동안, 모든 결과에 대한 책임을 오롯이 내가 져야 했기에 이때 처음으로 내가 하는 일에 대해 책임감을 느꼈다. 그래도 이런 어려움들을들을 경험해 나가고, 내가 결정해서 일을 하면은 좋든 나쁘든 그 결과에 대해 책임이 따른다는 많은 것을 배우게 되었다.

작은 일 하나에도 큰 책임과 의무가 따르는 것이라고, 지금은 축사를 관리만 하는 것이지만, 주인으로서의 생각과 마음가짐도 배울수있는 기회였다였다. 축사 관리하는 동안 소의 건강과 행복을 유지하기 위해 최선을 다해 노력했다. 그래서 6개월 동안 11마리의 송아지를 받아냈고, 또 1마리가 죽기도 했다. 이모님의 건강 호전으로 축사 관리를 이모님이 다시 하시게 되면서, 나는 인수인계의 과정에서 나만의 축사에 대한 욕심이 생겼다. 그동안 소와의 값진 경험을 통해 얻은 지식과 노하우를 적용하여 농사와 축사를 함께 경영하고 싶었다. 그래서 부동산에 연락해 축사가 나오면 알려달라고 요청했지만, 지금까지도 연락이 없다. 그래서 나에게 이 분야는 아닌가 혹은 아직은 때가 아닌가에 대한 생각이 들었다.

이런 생각들은 나의 미래에 대한 고민에서 나온 것이었다.. 새로운 도전에 대한 호기심과 열정이 나를 움직이게 했지만, 동시에 현실적인 상황과 시기를 고려해야 한다는 깨달음도 있었다. 어떤 분야에서든 나에게는 끊임없는 도전과 성장의 기회가 기다리고 있을 것이라 믿고, 그래서 나는 어떤 일이든 나만의 시간과 노력을 들여 도전하면 성과를 거둘 수 있을 거라고 자신감을 느끼고 있다. 그 이유는 나는 이미 성공했다고 생각하기 때문이다.

*

축사와 더불어 동시에 농사도 경작하면서, 나는 다양한 작물을 키워보며 새로운 경험을 쌓았다. 농사 선생님이자 백석리에 계신 쌍둥이 이모님이 내 농사 선생님이시다.

나에게 알려주신 작물들은 시기 순서에 맞게 수박 농사, 하지 감자, 벼농사, 멜론 농사였다. 농사는 축사와는 또 다른 분야의 도전이었고, 그만큼 새로운 지식과 기술을 습득하며 성장할 수 있는 기회였음이 틀림없다.

쌍둥이 이모님은 농사 경작에 대한 전문성을 가지고 계셨기 때문에, 이모님의 지도 아래에서 일을 시작했다. 처음에는 어떻게 경작해야 하는지를 몰라서 알려주시는 데로 시작했고, 일 년 농사가 어떻게 돌아가는지 파악을 하고 그 후부터 시작이라 생각했다. 그리고서 스스로 판단하에 경작할 작물을 선택하고 그 작물을 전문적으로 재배하려 했다. 농사일은 자연과 함께하는 노동하는 소중한 시간이었다. 땅을 갈고, 씨앗을 심고, 식물이 자라 수확하는 모습을 지켜보면서 자연의 순환에 참여하는 것을 눈으로 매일 보며 새로운 경험을 안겨주었다.

이러한 농사 경험은 나에게 자연과의 조화와 인내, 노동의 소중함을 깨닫게 해주었다. 축사와 마찬가지로 농사 역시, 시작하면서 생각지도 못했던 다양한 부분들이 있었다. 그 부분들을 배우는 것은 정말로 흥미로웠다. 동물을 키우는 것 과는 달리 식물은 소리를 내지 않기 때문에 그들의 상태를 알아보고 관찰하는 것이 제일 중요한 일이다. 농사 경험을 통해 식물들도 각각의 생명체로서 각자의 방식으로 성장하고 반응한다는 것을 깨달았는데, 때로는 울음소리가 없어서 더 신중하게, 주의 깊게 관찰해야 했다.

또한, 자연과의 조화 속에서 농사를 지으며 자연스럽게 흙과 물. 공기(습도) 등 자연의 모든 것들에 대해 소중함을 느꼈다. 그리고 우리의 노력과 관심, 관찰만이 식물을 이해할 수 있는 기본적이면서 가장 좋은 방법이었다.

한 해 농사를 지어보고 나니 자연스레 도시에서 농수산물을 소비했던 경험을 돌이켜보게 되는데, 그래서 현재의 나는 식품을 구매할 때 모든 농수산업 종사자분에게 감사의 마음을 전하며 구매하는 습관을 갖게 되었다. 그들의 헌신과 노고를 알게 되면서 농산물 하나하나가 얼마나 소중하게 생산되고 유통되는지를 알게 되었다.

이러한 마음가짐은 나에게 소비에 대한 새로운 시각을 제공했다. 알기 전에는 '왜케 비싸니 이건 싼데 저건 왜 비싸냐 이러냐는 둥' 가격을 운운했지만, 직접 경험을 하니 이젠 가격이 이해되는 것이었다. 이처럼 내가 느꼈든 알지 못했든 사실들을 소비자에게 알려주고 인식하게 되면은 소비자도 건강한 식품을 믿고 먹을 수 있고, 더불어 판매자에게도 높은 수익이 될 수가 있다는 것을 어렴풋이 깨달았다.

*

나는 농사를 짓다 보니 식물의 신비로움에 빠져들게 되었다. 식물들은 우리에게 소리치지 않지만, 그들만의 언어로 계속해서 표현하고 있다는 것을 알았다. 또 식물은 줄기를 자를 때,잘린 면에 균이 침투하면 바로 세균 병에 걸리는 것처럼 생장과 즉각적 반응을 통해 소통한다는 것을 깨달았다. 특히 수박, 하지감자, 벼, 멜론 등을 경작하면서 각 작물이 때에 맞는 영양소들과 해롭고 이로운 균 등 재배하는 환경과 조건을 배워 공부하는 것은 새로운 도전이었다.

내가 경작했던 식물들과 그에 이야기를 소개한다.

<수박>

수박을 키워 출하하는 과정에서는 많은 일들을 경험했다. 수확의 기쁨뿐만이 아니라 작물의 성장에 영향을 미치는 다양한 요인들을 이해하고 대응하는 것이 중요하다는 것도 배웠다.

수박 농사를 짓는 과정에서 100m 하우스 3동에 1,600개의 수박을 키우는 작업을 하게 되었고, 처음에는 이렇게 많은 양의 수박을 어떻게 키우느냐, 수정을 어떻게 하는가 등 아무것도 몰라 어려웠는데, 나의 농사 선생님(이모님)의 가르침을 받고 수정할 때는 벌들의 도움을 받게 되는 사실을 알게 되면서 우리는 자연과 협업을 하는구나 깨닫게 되었다. 벌들은 마치 작은 조화의 예술가처럼, 수술의 꽃가루를 암술의 꽃으로 수정시키는 작업을 한다. 이때 우리 농촌에서 꿀벌들이 사라지는 것이 얼마나 위험한가를 알게 되었다. 벌들은 농촌사회에서 결실을 맺게 해주는 중요한 친구들이었다. 이러한 작업을 통해 나는 무서웠던 벌들이 아주 귀한 일꾼 임과 동시에 왜 소중한지를 깨달았고, 농사일과 자연의 조화를 느낄 수 있었다. 매 순간들이 내게 감사함을 일깨워주었다. 재배 도중에 수박이 저절로 익어 쪼개지는 경우도 있었고, 초록색 잎 사이에 초록색 수박은 잘 보이지도 않아 그냥 썩혀지는 경우도 있었다. 첫 수익 작물이자 첫 재배식물인 수박은 나에게 자연과 일하는 것은 어떤 일인지를 알게 해준 작물이었다.

<벼농사>

나의 벼농사는 항상 음력 4월 8일쯤에 못자리를 하고, 양력 5월 말에서 6월 초쯤, 벼 모종이 약 15cm 정도인 손바닥 한 뼘 정도가 될 때 모내기한다.

2022년 첫 벼농사를 경작했을 때, 벼와 잡초를 구별하는 법을 몰랐다. 그래서 심어 놓고 풀들이 잘 자라는 것을 보면서 벼들이 잘 자라는 것이 초보자의 행운이 내게 도래한 것 같다고 생각했었는데, 그러나 시간이 흐른 뒤에 보니 벼보다 잡초가 무성하게 자라는 모습을 보게 되었고, 동네 어르신들은

'수확할 때 그거참 고생할 좀 할 거다.'

라며 나에게 한 마디씩 건네주셨다. 첫해 풀들이 너무 잘 자라 온 가족이 하루 날 잡아 논에 풀을 뽑으러 간 적도 있었다. 가는 날이 장날이라고, 마침 네이버 로드뷰 차량이 지나가 그날의 모습이 로드뷰에 박제가 되기도 했다. 그 모습을 보여드리니 부모님이 우리 인터넷 인기스타가 되었다고, 우울할 때 인터넷에 검색해 보면 되겠다고 하시면서 웃음꽃이 핀 날도 있었다. 벼이삭이 나오는 데는 문제가 없었으나, 수확할 때는 문제가 있는 부분이었다. 콤바인 기계가 벼는 베어도, 억센 풀 베는 것이 힘들다고 들어, 이 방법 저 방법들을 취했으나 시기를 놓쳐 효과가 없었고, 첫 경작의 해이라 놓치고 늦는 부분이 많았다. 후

년에는 놓쳤던 부분을 되짚어가며 잡으면서 잘 지을 수 있을 거라 다짐하고 생각했다.

또 이런 상황에서 2022년도는 나에게는 불행 중 다행이다. 그 이유는 2022년에는 비가 거의 오지 않아 농작물들이 흉작이었고, 이러한 흉작 속에서도 나의 논은 다른 분들의 논과 수확량에 큰 차이가 없었다. 이러한 농사 경험이 나에게 여러 교훈을 전해주었다. 작물을 키우는 것은 예측 불허의 여정이며, 자연의 협조가 필요하다는 것을 깨닫게 되었다. 그리고 어려움을 극복하여 더 나은 농사 경영을 위해 해야 할 방안에에대해서도연구해야 한다는 생각이 들었다.

*

내가 본격적으로 농사를 짓는다고 말하고 난 뒤 매년 못자리를 할 때마다 대학교에서 만난 친구들이 매해 도와준다. 가뜩이나 일손이 부족한 농촌사회에서 친구들은 마치 나에게 천군만마와도 같은 든든한 존재이며, 너무나 고마운 친구들이다. 벼농사의 시작을 같이해주니 동네 어르신들도, 우리 친인척 가족들 모두, 말은 없으시지만, 친구들과 나를 흐뭇한 얼굴로 봐주신다. 나는 이렇게 친구들이 매년 정기적으로 얼굴 보면서 우정을 돈독이며 앞으로 쭉 좋은 인연들로 맺어졌으면 하는 하는 바람이 있다. 혹시 아는가 사람일은 모른다고 같이 농사도 지을 수 있을지도 모르니깐 말이다.

<메론>

수박 출하를 마무리한 후, 나는 열흘가량의 정비 시간을 가지게 되었다. 이 시간을 활용하여 수박하우스를 정리를하고 트랙터로 하우스 로타리를 친후, 추석메론을 출하시기 D-100일에 맞춰 심었다. 나에게는 휴식이 필요한데 식물들은 나와 관계없이 계속자라니 경작을 하는동안 나에게는 온전한 휴식과 주말이 없었다. 이모든상황들이 벅찼지만, 내 몸으로 버는 경험 및 재산이라고 생각을했다. 나에게는 단한번도 느끼지 못한 반강제 노동의 경험이었다.

요령이없어 손도 느리고 시간도 오래걸리고, 어느시기가 조금은 한가한때를 모르니 그냥 무작정 하는거였다. 수박과는 다르게 메론은 매달아서 키우는데, 그 작업방식도 수박재배와는 또 달랐다. 메론의 억센 잎 때문에 맨손으로 다루기가 힘들어 장갑을끼고 작업을 했다. 배운대로 잘 키우는와중에 출하 일주일 을 앞둔 날이였다. 가을장마가 찾아와 기록적인 폭우량에 배수구는 감당하지못했고, 하우스는 물에잠겨 되어 메론의 상태가 좋지않아 출하를 못하게 돼었다. 그리고 보험 처리를 받았다.

이런 상황에서 출하하지못해 스트레스를 받았었는데, 열심히 키워 출하계획을 잡아 내새웠지만 마음대로 돼지않았다는사실이 너무 속상했다. 하지만 이런 상황 일수록 나는 더 많은 걸

배울 수 있었다. 그게 뭐냐면 농사짓는 건 예측하기 힘든 상황도 대처해야 하고, 그때그때 빠른 판단과 행동이 필요하다는 걸 깨달았다. 이런 경험 덕분에 농사를 지을 때 고려해야 할 것들이 더 있었다는 사실을 알게 되었다. 실패에서도 교훈을 얻어 더 나은 농작물을 키울 수 있게 된 거다.

이러한 도전 속에 실패를 통해 나 자신이 얼마나 우물안에 개구리인지를 느낄 수 있었다. 농사일이라는 것은 어느 정도 단계까지는 우리의 노력으로 성취할 수 있지만, 자연의 힘 앞에서는 우린 무력한 존재임을 깨달았고, 농사일이야말로 하늘이 도와야만 무사 재배할 수 있는 일이었다. 이 경험은 농사일에 대한 겸손함과 자연에 대한 존경심을 알게 해준 일이었다.

세상은 내 생각대로 흘러가지 않는다는 것을 농사일로 다시 한번 느꼈다. 하지만 오히려 처음부터 모든 것이 순조로웠다면, 고난과 역경이 다가왔을 때 그것을 지혜롭게 헤쳐 나가는 힘이 부족하지 않았을까 하는 생각이 들다.

모든 일이 순조롭게 흘러가지 않더라도, 그 속에서 얻는 교훈과 성장은 가치 있는 것으로 남게 되었다. 이를 통해 나는 삶의 불확실성을 수용하면서도 지혜롭게 나아갈 힘을 얻게 되었다. 나는 하우스를 1년 임대하여 알차게 경험을 쌓고 난 뒤, 추가 계약은 하지 않았다. 이는 여러 이유가 있었지만, 가장 큰 이유는 혼자서는 하우스를 운영하기에는 벅찼다는 것이다. 하우스 일을 하면서 농사일에 대한 경험과 지식을 쌓을 수 있었지만,

하면서 느꼈던 벅참과 책임감은 농사 경영이 특히나 힘든 일임을 깨닫게 되었다. 어느 하나 쉬운 것이 없는 세상이지만, 특히 하우스 작물 재배는 노동력을 많이 필요로하니 혼자서 할 엄두가 안 났다.

이 과정에서 주변 동네 어르신들을 만나 나의 고민 과 이야기들을 들려드리고 그분들로부터 풍부한 경험과 깊은 조언을 듣게 되었다.

어르신들은 그동안 농사일을 하면서 겪은 경험을 바탕으로 나의 고민에대한 다양한 조언을 들려주셨고. 그들의 지혜와 경험은 나에게 많은 도움이 되었다. 농촌에서의 생활은 뿌리 깊은 지혜를 얻는 소중한 시간으로 기억된 것이다. 어르신의 지혜로 가득 찬 말씀 중에서 제일 기억에 남는 것은

'내가 직접 일했던 것은 나를 배반하지 않아.'

'모든 일들은 자연의 순리대로 자연스럽게 흘러. 억지로 하게 되면 틀어지게 된다.'

라는 말이다. 이러한 말씀은 아직도 마음 깊은 곳에 남아있어 잊히지 않고 있다.

첫 번째 말은 직접 경험하고 노력한 일은 나 자신을 배신하지 않는다는 깊은 진리를 담고 있으며, 농사일이나 사업에서 얻은

성과와 경험은 나 자신을 향한 믿음을 강화하고 있고,

두 번째 말은 모든 일들은 자연스럽게 흘러가야 하며, 억지로 하게 되면 그것이 틀어지게 된다는 내용을 담고 있다. 자연의 법칙과 순리를 따르면서 일을 처리하고 삶을 살아가면 그 안에서 찾는 해답이 있다는 교훈을 얻게 되었다

4
똥빵댕이의 탄생과 사업 시작

농사지으면서 하우스에서 사용했던 작업 방석에 대한 아이디어가 떠올라 이를 토대로 나만의 사업에 착수하기로 결심했다. 새로운 사업 아이디어를 보완하기 위해 먼저 철저한 시장조사에 나섰고, 인근의 철물점을 방문하고, 현재 인터넷에서 판매되고 있는 다양한 작업 방석 제품들을 구매했다. 인근 철물점에서 현지 시장에서 어떤 종류의 작업 방석이 주로 판매되고 있는지, 그리고 어느 디자인의 선호와 제품의 장단점을 여쭈어 체계적으로 파악하려했다. 동시에 온라인 시장에서는 어떤 제품들이 판매되고 있으며 어떤 특징을 가지고 있는지에 대한 조사 역시 진행했다.

다양한 작업방석 제품을 구매하여 각각의 장단점을 객관적으로 사용해 분석했고, 이를 비교하며, 각 제품의 특징을 파악할 수있었다. 소비자 리뷰와 피드백을 찾아 살펴보면서 각 제품이 어떤 부분에서 좋거나 보완이 필요한지까지를 살펴봤다. 이를 통해 내가 경쟁 제품들의 시장에 뛰어든다면 살아남을수 있겠구나라는 확신과 내가 어느위치쯤 올라올수있겠구나를 파악했다. 그리고 무엇보다 나는 자신 있었다.

시장조사를 통해 얻은 정보를 기반으로, 나만의 '똥빵댕이'이름의 작업방석이 탄생하게되었고, 그동안 공장에서 배운 기술과 봉제, 유통에 대한 경험을 활용해서 나만의 작업방석을 개발했다. 제품을 개발하는 과정에서는 먼저 사용자의 편의성과 효과를 고려해서 주변에 농사 지으시는 분들에게 무료로 제공해서 사용해보시라고 제안했다. 또한 나도 직접 사용해보면서 제품의 장단 점을 체크했고, 그를 바탕으로 더 나은 제품으로 보완하여 신버전 제품작업도 진행했다.

제품 개발 단계에서는 그냥 내 생각만으로 판단하기 힘들었기 때문에, 직접 사용해보는 사용자들의 피드백을 받고자 했고. 그 결과로 나온 의견들을 바탕으로 보완할점들을 찾아, 그것들을 적용하여 더 효과적인 작업 방석을 만들 수 있었다. 이런 방식을 통해 사용자들과 소통하면서 나만의 제품을 완성해 나가는 과정은 정말 의미 있고 즐거웠다.

*

내 개인적인 생각으로는 한국에서 봉제 분야가 후퇴 중인 분야라고 생각한다. 현실을 직시해서 보면 이는 더 이상 새로운 인력이 유입되지 않고 있는 상황을 의미하고, 이는 봉제 분야에서뿐만 뿐만 아니라 어느 분야든 경쟁력을 유지하고 발전시키는데 있어서는 '자급자족을 할 수 있느냐, 없느냐'가 매우 중요하다고 생각한다. 앞으로의 모든 일에 대한 경쟁력은 자체적으로 생산(자급자족)과 트렌드를 읽어 흐름에 섞일 수 있는 능력에 달려있다고 생각한다. 이러한 시대 속에서도 나는 이 분야에서 성공하고 시장에서 살아남을 수 있을 것이라는 자신감을 느끼고 있다.

일단 나는 현대의 흐름을 따라가기 위해 인터넷 시장에 진출하기로 결정했고, 온라인 채널을 통해 넓은 소비자층에 접근하고자 했다. 초기에는 인지도 부족으로 판매가 어려웠다. 그러나 광고 노출과 홍보 비용에 투자함으로써 판매량은 증가했고, 이러한 조치로 판매량이 늘어나 이익을 창출했다. 동시에 홍보 비용으로 인해 순이익에도 영향을 미쳤다. 이러한 상황에서는 솔직히 조바심과 적자라는 현실이 눈에 밟히고 있었지만, 이제 시작한 나에게 시작은 원래 미약한 것이며 천 리 길도 한 걸음씩 나아간다는 마음가짐으로 시작하고있다. 이제부터가 진정한 도전의 시작이라고 생각한다.

이러한 상황에서도 초기 마음가짐을 잃지 않고, 똥빵댕이는 계속해서 판매 수와 리뷰 수의증가하고 있다. 나는 지속적으로 모니터링하며 성장의 가능성을 보고 오프라인보다는 온라인을 확실하게 휘어잡아야겠다는 감을 잡았다. 끊임없는 발전을 향한 열망을 가지고 나는 현재 제품으로만 만족하지 않고, 추가 업그레이드된 버전과 다양한 제품군을 섭렵해 개발 및 선정하기로 했고, 고객센터로 오는 전화나 제품사용리뷰 들에서 오는 소중한 피드백들로 인해 더 발전 가능성이 있음을 보여준다고 생각한다. 이러한 소중한 피드백을 받아 사용자들이 더 많은 편리함을 느낄 수 있게 연구개발 중이다.

*

내가 원하는 궁극적인 목표에 대해 생각할 때 돈이란 매우 중요한 측면이지만, 나에게는 그 돈이 사회에 선한 영향력을 끼칠 수 있는 수단이라고 생각한다. 그리고 나는 1가정 1방석 캠페인을 첫 목표로 삼고 있으며, 이왕이면 일상생활에서 쉽게 똥빵댕이라는 이름을 누구나 들어봤으면 한다. 재미난 이름으로 웃음을 주고 싶고, 믿음직한 제품으로 신뢰도 주고 싶다. 사람들이 이 브랜드 제품은 믿고 쓴다는 인식 가지게끔 사업을 하고 있다. 내가 추구하는 삶은 내가 주변에 긍정적인 영향을 주고 그로 인해 선한 영향력을 행사하며 살아가는 것이다.

5
현재 그리고 앞으로

2022년 10월부터 나는 토요일 아침마다 카페 허밍에서 하는 독서 모임에 참여하고 있다. 세계 여행은 인생의 첫 번째 전환점이라면은, 독서 모임은 두 번째 전환점이라고 생각한다.

해당 독서 모임에서는 단순히 독서를 즐기고 교류하는 것뿐만 아니라, 그 안에서 다양한 사람들과 소통하고 이야기를 교류함으로써 이전의 내가 살아온 삶에서 더 넓은 삶을 알게 해 폭이 확장되는 느낌을 받았기 때문이다. 토요일 아침마다 모임에 참여하면서 책 속에서 얻은 본깨적(보고 깨달고 적용함)을 공유하고, 같은 책을 읽어도 다양한 의견과 그 경험들을 들음으로써 내가 바라보지 못한 곳을 바라보는 사람들도 있는지 알게 되었다. 이를 통해 나의 시야가 더 넓어지고, 같은 상황, 같은 사물이어도 다양한 관점으로 이해하는 데 많은 도움이 되고 있다.

독서모임에서는 책 속에서 얻은 지식뿐만 아니라, 참여하는 다양한 사람들을 만나고 그들의 경험과 생각을 듣는 것이 또 하나의 행복으로 자리잡았다. 이를 통해 나는 생각의 폭을 더 넓게 펼칠 뿐만 아니라, 새로운 인간관계를 넓혀주고, 그동안 일하는 것만 아는 나에게 독서와 여유, 자기 계발이라는 것을 알게 해주었다. 독서 모임은 나에게 지식과 다양한 교류를 동시에 선사하는 소중한 경험이 되어주고 있다. 추가로 2023년도에는 11대 총무를 맡게 되어 독서에 진심으로 열심히 하고 있다. 이 책을 빌어 독서 모임을 알게 해주고 광민이형에게 찐한 고마움을 표한다.

*

또한 독서 모임 중 이송화 선배님을 통해 알게 된 인연 덕분에 함안에 위치한 천불암 무량 선원에서 템플스테이를 경험했다. 그곳에서 나의 그간에 고민이나 불완전했던 나에 대해 아주 명쾌한 깨달음을 얻게 되었다. 삶을 올바르게 바라는 보는 법을 배웠고, 그곳에서의 경험과 느낀 바는 나에게 인생에서 정답이 없으며 선입견을 품지 않아도 된다는 중요한 교훈을 주었다. 누구보다 선입견이 없을 줄 알았던 내가 그 누구보다 선입견이 있었고, 다른 사람에게 피해를 주지 않는 한에서는 타인의 시선을 굳이 신경 쓸 필요도 없다는 것을 몸으로 깨우쳤다. 확실히 지식으로 배우는 것과 체험해서것의 정도 차이는 천지 차이인거 같다.

템플스테이를 통해 나는 현대 사회에서 잊혀진 소중한 가치들을 깨닫게 되었고, 일상에서 벗어나 조용한 환경에서 절에서의 차담을 통해 일상의 행복을 느낄 수 있었고, 그것이 나에게 새로운 자극을 주며, 삶을 더 의미 있게 살아가는 데 도움이 되었다.

*

2023년 현재 나는 벼농사와 작업 방석을 주로 생산하는 공장 두 가지 일을 병행하고 있다. 또한, 올해 연말까지는 수출 준비를 완료했고, 내년에는 수출을 성공적으로 이뤄내는 것을 목표로 삼고 있다. 이를 통해 국내뿐만 아니라 국외 시장에서도 나의 제품들이 널리 퍼져 똥빵댕이 이름만 불러도 웃음이 나고 제품 사용으로 인해 건강한 삶이라는 긍정적 순환이 이루어졌으면 한다.

이런 목표를 향해 노력하고 성취하는 과정에서 더욱 의미 있는 삶을 살 수 있을 것이라 믿는다. 나의 현재 목표는 작업 방석 제품이 1가정 1방석 캠페인으로 국내 시장에서의 목표로 삼고 있다. 현재는 더 큰 노력과 계획이 필요한 단계이지만, 이 캠페인은 내가 추구하는 가치와 목표를 반영한 것이며, 이 캠페인이 무조건 달성할 수 있다고 생각한다.

그뿐만 아니라, 미래에는 곧 먼지 않아 수출 컨테이너에 나의 제품이 가득히 실려 해외로 나가는 모습과, 그곳에서 나의 제품이 사용되는 모습을 상상하면서 더 많은 동기부여를 얻고 있다. 해외에서도 나의 제품이 인정받고 사랑받는다면, 그것이 나에게 큰 자부심과 성취감을 선사할 거고, 또 다른 도전을 할 거란 생각이다. 이러한 이미지를 상상하며 나아가는 동안 나는 더 많은 도전과 성장을 향해 나아가고 있다.

나는 이제는 안다

"가만히 기다려도 기회라는 것은 온다. 그러나

도전하고 움직일수록 그 기회는 더 빨리 나에게 온다는 사실을."

그래서 오늘도 나는 매일매일 새로운 도전을 새로운 하루를 살아간다. 앞으로 내가 어떤 일들을 하고, 어떤 사람들을 만날지 내가 더 궁금하다.

책을 마치며

책을 마치면서 이 책을 쓸 수 있는 기회를 얻게 된 것에 대해 정말로 감사하게 생각합니다. 배낭 메고 여러 나라를 여행한 일, 농사를 지었던 일, 작업 방석 사업 시작했던 일까지 했던 20대의 순간들을 돌아보는 것만으로도 마치 소중한 선물을 받은 것 같은데 책까지 쓰게 된다니요. 그동안의 경험을 되돌아보고 얻은 깨달음과 현재 생각들이 어우러져 앞으로 더 멋진 인생을 살 거라는 확신이 듭니다.

20대를 마치면서 다시금 그 시절을 돌아볼 수 있다는 것은 정말 소중한 기회였습니다. 그때의 나, 그때의 감정, 모든 것이 더욱 생생하게 떠오르면서 미처 깨닫지 못했던 소중한 순간들도 다시 떠올랐습니다. 책을 통해 이러한 순간들을 앞으로 계속 되짚어볼 수 있다는 것과, 현대사회에 내가 살아온 발자취를 남길 수 있다는 것에 너무 설레고 두근거립니다. 과거의 내가 어떤 경험과 생각들을 했는지를 30대, 40대의 내가 바라보는 관점도 훗날에 재미있을 거 같습니다.

이제 30대를 맞이하며, 앞으로의 삶에 어떤 일들이 다가올지 궁금해하고, 과거의 나에게 감사함을 표하며, 미래의 나에게는 더욱 나은 선택과 경험을 쌓아가며 성장하는 모습을 기대합니다. 삶은 끊임없는 도전과 발전의 연속이라는 생각으로, 앞으로의 여정도 즐겁게 나아가고자 합니다. 마치면서, 이 모든 과정에서 얻은 지혜와 감사함을 느끼며 마무리합니다. 독자분들에게 항상 좋은 일들만 가득했으면 합니다.

이 책을 읽어주셔서 감사합니다.